EDUCAÇÃO AMBIENTAL
NA PERSPECTIVA DA ECOLOGIA INTEGRAL

Como educar nesse mundo em desequilíbrio?

Ana Mansoldo

EDUCAÇÃO AMBIENTAL
NA PERSPECTIVA DA ECOLOGIA INTEGRAL

Como educar nesse mundo em desequilíbrio?

Copyright © 2012 Ana Mansoldo
Copyright © 2012 Editora Gutenberg

PROJETO GRÁFICO DE CAPA E MIOLO
Diogo Droschi

CAPA E ILUSTRAÇÕES DO MIOLO
Emídio Almeida

EDITORAÇÃO ELETRÔNICA
Conrado Esteves

REVISÃO
Aline Sobreiro

GERENTE EDITORIAL
Gabriela Nascimento

Revisado conforme o Acordo Ortográfico da Língua Portuguesa de 1990, em vigor no Brasil desde janeiro de 2009.

Todos os direitos reservados pela Editora Gutenberg. Nenhuma parte desta publicação poderá ser reproduzida, seja por meios mecânicos, eletrônicos, seja via cópia xerográfica, sem a autorização prévia da Editora.

EDITORA GUTENBERG LTDA.

São Paulo
Av. Paulista, 2.073, Conjunto Nacional, Horsa I
11º andar, Conj. 1101 . Cerqueira César
01311-940 . São Paulo . SP
Tel.: (55 11) 3034 4468

Belo Horizonte
Rua Aimorés, 981, 8º andar . Funcionários
30140-071 . Belo Horizonte . MG
Tel.: (55 31) 3214 5700

Televendas: 0800 283 13 22
www.editoragutenberg.com.br

Dados Internacionais de Catalogação na Publicação (CIP)
(Câmara Brasileira do Livro, SP, Brasil)

Mansoldo, Ana
   Educação ambiental na perspectiva da ecologia integral : Como educar nesse mundo em desequilíbrio? / Ana Mansoldo – Belo Horizonte : Editora Gutenberg, 2012.

   ISBN 978-85-65383-18-9

   1. Educação ambiental I. Título. II. Série.

12-03200   CDD-304.2

Índices para catálogo sistemático:
1. Educação ambinetal 304.2

PREFÁCIO..11
INTRODUÇÃO..13

PRIMEIRA PARTE – PARA REFLETIR...

CAPÍTULO 1
EDUCAÇÃO AMBIENTAL: A ARTE DE CONSTRUIR
VALORES HUMANOS..19

CAPÍTULO 2
CONSCIÊNCIA E CIDADANIA PLANETÁRIA...............25

CAPÍTULO 3
DIREITOS HUMANOS OU DIREITO À VIDA?.............27

CAPÍTULO 4
TOLERÂNCIA: UMA ÉTICA PARA A PAZ....................29

CAPÍTULO 5
O CONFORTO COTIDIANO: QUANTO CUSTA?.........32

CAPÍTULO 6
CONSUMISMO: ILUSÃO DE FELICIDADE...................34

CAPÍTULO 7
LIXO E RECICLAGEM: MAIS QUESTÕES
QUE RESPOSTAS..36

CAPÍTULO 8
AMOR: UMA PRÁTICA PEDAGÓGICA.......................38

CAPÍTULO 9
GENTE DO CAMPO: A SABEDORIA
DA SIMPLICIDADE..40

CAPÍTULO 10
OS ANIMAIS: SERES COM DIREITO À VIDA DIGNA 42

CAPÍTULO 11
A ÁGUA NOSSA DE TODA VIDA 45

CAPÍTULO 12
REPARTIR MELHOR O PÃO 48

SEGUNDA PARTE – ...E PRATICAR

CAPÍTULO 1
PRÁTICAS TRANSFORMADORAS 53

CAPÍTULO 2
ECOLOGIA INTEGRAL 55

CAPÍTULO 3
ECOLOGIA DA NATUREZA 60

CAPÍTULO 4
ECOLOGIA PESSOAL 64

CAPÍTULO 5
ECOLOGIA SOCIAL 69

CAPÍTULO 6
COMPROMISSO COM A ECOLOGIA INTEGRAL 79

DESPEDINDO-ME (DESPEDINDO-ME) 81

SUGESTÕES PARA REFLEXÃO 83

ANEXO – MAPA DO MEU DIA 85

Não sei como preparar o educador. Talvez porque isso não seja necessário...
É necessário acordá-lo. [...]
Basta que os chamemos do seu sono, por um ato de amor e coragem.
E talvez, acordados, repetirão o milagre da instauração de novos mundos.
(Rubem Alves, em *Conversas com quem gosta de ensinar*)

Dedico este livro ao educador que acredita na força da palavra para a construção de um mundo melhor.

Prefácio

Ana Maria Vidigal Ribeiro
José Luiz Ribeiro de Carvalho*

Ao publicar *Educação ambiental na perspectiva da ecologia integral*, Ana Mansoldo confirma seu compromisso com uma educação transformadora que vem praticando, com alegria e criatividade, nos cursos e eventos que temos realizado no Centro de Ecologia Integral (CEI), organização que tem como finalidade trabalhar pela cultura de paz e pela ecologia integral.

Sempre que aprofundadas as questões relativas a uma visão ampliada de paz e de ecologia, que envolve principalmente o resgate da interconexão, da interdependência e da integração entre tudo e todos, surgem algumas perguntas inquietantes, que a autora nos traz logo no início do seu trabalho: como educar e promover uma educação transformadora, nessa perspectiva, num mundo em desequilíbrio?

Ana Mansoldo vai tecendo criteriosamente, neste seu novo livro, as principais ideias e conceitos que fundamentam uma proposta educativa transformadora e consistente:

- A arte de construir valores humanos como responsabilidade, cooperação, organização, respeito, não violência, amor e compaixão, que são valores essenciais.
- A ampliação da consciência e da cidadania planetária, numa visão integrada e integradora que substitui uma visão fragmentada e degradadora.

---

* Fundadores e diretores do Centro de Ecologia Integral e da *Revista Ecologia Integral*.

- A defesa do direito à vida, de todos os seres, em todos os sentidos, pois na teia da vida nenhum ser é inferior, e cada espécie tem seu papel fundamental.
- O direito dos animais a uma vida digna.
- Uma educação ambiental para a tolerância e o respeito, orientada pela compreensão de que somos uma única e interdependente comunidade planetária.
- Os custos econômicos, energéticos, naturais e humanos do nosso conforto, do consumismo e da geração de resíduos são temas explorados de forma a se buscar a coerência em nossas práticas cotidianas.
- A reconstrução da conexão da vida urbana com as fontes naturais, com a sabedoria e a simplicidade da vida no campo.
- O reconhecimento e a valorização da água como base fundamental para a vida.
- E a importância de se tomar consciência dos problemas de produção e distribuição de alimentos.

Na segunda parte do livro são apresentadas importantes práticas transformadoras que mostram que a mudança é possível e que com amor e criatividade todos podem dar sua contribuição.

Vale ressaltar que, referenciando autores como Paulo Freire e Rubem Alves, entre outros, a autora nos lembra que cabe ao educador a tarefa de se educar permanentemente, buscando aperfeiçoar sua missão no processo educativo.

Trata-se de uma obra que cumpre integralmente seu objetivo e oferece a todos, em especial aos educadores, conceitos e propostas de atuação bem estruturadas e fundamentadas que podem propiciar uma verdadeira transformação.

Afinal, o amor como proposta pedagógica, como bem salientou Ana Mansoldo, desperta para a plenitude de todos os sentidos e para a percepção consciente de integração com o mundo. E isso não se ensina só com palavras, mas com atitudes. Esse é o seu principal mérito: uma educadora ambiental coerente, que vive na prática os seus ideais e princípios. Como a própria autora constata: "Tudo indica que não desistimos da utopia".

INTRODUÇÃO

Educação ambiental

Não nascemos prontos para a vida em sociedade. Essa capacidade não é inerente ao ser humano, mas adquirida ao longo da sua vida e transmitida de geração a geração. Isto é, precisamos do outro, da referência do poder simbólico cultural – pais, gurus, caciques, professores – para sermos educados. Precisamos que nos ensinem a adequar nosso comportamento aos valores sociais vigentes em cada cultura. Educação, portanto, é um processo de transmissão de valores que nos possibilita viver em nosso ambiente e sermos reconhecidos na ordem humana. Nesse sentido, toda educação é ambiental.

A educação ambiental surge como proposta específica na década de 1970, justamente porque os valores de referência dessa época, determinados pela ordem econômica e pelo poder da tecnologia, sinalizavam para uma ameaça à vida na Terra. Os rios transformados em geradores de energia para mover indústrias ou usados como carreadores de resíduos de toda ordem; as florestas transformadas em carvão para alimentar máquinas; as montanhas dizimadas pela exploração de minérios para a produção de máquinas de produzirem outras máquinas; a exaustão do solo cultivável; os animais dizimados em seus ambientes pela especulação imobiliária ou para a construção de rodovias e hidrelétricas enfim, um processo de produção e consumo, visando ao lucro sem limites e gerando uma destruição sem precedentes. Até que se fez o alerta: os recursos naturais estão sendo subtraídos sem se levar em conta seus ciclos de recarga, e o resultado dessa operação é óbvio – o desequilíbrio.

Como educar nesse mundo em desequilíbrio? Como intervir nos valores consumistas e imediatistas da atual geração? A proposta da *educação ambiental na perspectiva da ecologia integral* é que seja pela ampliação da percepção e da consciência ambiental do educador e do educando, provocando novas maneiras de ver, sentir, pensar e agir comprometidas com a transformação da realidade, tendo em vista a preservação, e não o desfalque da Terra para as futuras gerações.

Ecologia integral

Durante muito tempo a ecologia se referia apenas aos fenômenos naturais, ao cuidado com as plantas e os animais. Mas o significado da palavra "ecologia" é muito mais amplo. O termo vem do grego *oikos*, que quer dizer casa, e *logos* que quer dizer estudo, reflexão, ou seja, ecologia é o *estudo da casa*. Que casa é essa que precisa de nosso estudo e reflexão? É a casa planetária, a Terra, com toda a vida ali existente: a vida de cada pessoa, a vida das sociedades humanas e a vida em todos os reinos da natureza, animal, vegetal e mineral. O cuidado com essa ampla casa compreende três dimensões ecológicas integradas: a ecologia pessoal, a ecologia social e a ecologia da natureza. Essa é a proposta da ecologia integral, um conceito que foi elaborado pelo Centro de Ecologia Integral (CEI) com base nos princípios da Universidade Internacional da Paz (UNIPAZ). O CEI é uma organização não governamental sem fins econômicos, sediada em Belo Horizonte, que tem como principal finalidade trabalhar por uma cultura de paz e pela ecologia integral, apoiando e desenvolvendo ações integradas de cuidado com o corpo físico, emocional, mental e espiritual, o cuidado com as relações entre todos os seres humanos e a união profunda com a natureza.

A *educação ambiental na perspectiva da ecologia integral* propõe, então, o reconhecimento de que tudo está ligado a tudo, de que somos todos interdependentes, o ser humano, a sociedade e a natureza. Isso amplia nossa responsabilidade com o planeta, pois cada ação individual repercute em toda a teia da vida, o que exige, antes de tudo, coerência. Não basta apenas entender os conceitos, são necessárias também as práticas transformadoras, ações cotidianas que valorizem o ser humano e todos os seres da natureza.

Práticas transformadoras

As práticas transformadoras começam com a ampliação da percepção ambiental apreendida pelos nossos sentidos, dos quais não usufruímos todo o potencial. Quantas vezes olhamos sem ver, escutamos sem ouvir, nos alimentamos sem sentir o sabor dos alimentos, ou notamos alguns odores porque são desagradáveis? Que quantidade enorme de informações recebemos sem refletir sobre elas? Quantos produtos consumimos sem nos perguntar de onde vêm ou para onde vão? Quantas pessoas participam do nosso convívio e nada sabemos sobre elas? Excesso de lixo, poluições diversas, acelerada extinção de espécies, alterações climáticas, escassez de água potável, miséria e violência fazem parte do nosso cotidiano e quase nunca avaliamos nossa responsabilidade individual nesse contexto.

Este livro traz textos e práticas para reflexões sobre o cotidiano, pretendendo estimular a percepção ambiental integral, o autoconhecimento e o respeito a todas as formas de vida. Porém, mais importante que as sugestões aqui oferecidas, é a sintonia do educador com as questões ambientais, para que possa criar um espaço de construção, e não apenas de transposição do conhecimento. A aprendizagem efetiva se dá num encontro entre pessoas, pela força da palavra instigante, pela libertação do sujeito desejante e pela apreensão de linguagens e experiências diversificadas. Portanto, ofereço apenas minha experiência como educadora, construída com cuidado, considerando ao máximo o perfil, a demanda e o interesse dos educandos, e, é claro, inspirada em outros encontros. O que desejo é contribuir para a construção de um mundo melhor para nossos filhos, educando *filhos melhores para o nosso mundo.*[*]

---

[*] Encanta-me essa expressão, que encontrei circulando pela internet, mas infelizmente não conheço a autoria.

Começando a refletir

Com frequência se diz que a educação ambiental deve ser focada na criança, se quisermos transformar esse mundo. E Paulo Freire nos provoca, perguntando: quem educa o educador? Considero que não seja justo colocar apenas na criança toda a nossa expectativa de recuperação de um mundo que ela já encontrou ameaçado, desequilibrado. Não é ela quem faz as compras de supermercado, ela não é empresária, nem eleitora. Ela influencia, mas não decide. Quem decide é o adulto, e a criança, com muito prazer, segue o exemplo de um bom educador. Assim, cabe a nós, educadores, nos educarmos permanentemente: pensar e repensar nossa ação no mundo, pois ser educador não é apenas ser professor, como insiste Rubem Alves: "Educador [...] não é profissão; é vocação. E toda vocação nasce de um grande amor, de uma grande esperança".

Bom trabalho!

PRIMEIRA PARTE

PARA REFLETIR...

CAPÍTULO 1
EDUCAÇÃO AMBIENTAL: A ARTE DE CONSTRUIR VALORES HUMANOS

Os valores humanos são como bússolas: norteiam nosso caminho pela vida. São eles que orientam e motivam nossas relações com o mundo – na ciência, na arte, na economia, na religião –, constituindo o alicerce da civilização. Nessa época de individualismo, competição e corrupção, é inevitável nossa sensação de desorientação, de insegurança, como se a humanidade estivesse desgovernada, sem bússola. E nessa angústia buscamos a **utopia** da plenitude, da harmonia, dos valores ideais de um tempo que passou. Sonhamos (quem sabe?) com os nossos ancestrais nômades, que viviam em comunhão com a natureza, compartilhando os alimentos que a terra lhes oferecia, apenas sobrevivendo e reproduzindo-se. Fato é que, nos caminhos da evolução, fomos criando instrumentos que nos deram mais autonomia e mais possibilidades de sobrevivência, mas dificultaram muito a nossa convivência. Hoje, os valores de cooperação e solidariedade enfraquecem, enquanto predominam o egoísmo e a competição.

> **GLOSSÁRIO**
>
> **UTOPIA:** Entendo o termo utopia no sentido etimológico de origem grega: "u" (negação) "topos" (lugar) = "não lugar", ou seja, utopia é um lugar que não existe, mas creio que poderá existir se for construído. ∎

> Por que os valores estão se transformando tanto e tão depressa? Qual a implicação disso com os problemas ambientais de hoje?

Todas as espécies da Terra buscam perpetuar a vida, e para isso retiram do seu ambiente os recursos que garantem sua sobrevivência, transformando o meio, adaptando-se e evoluindo. E todas elas sabem o caminho que devem seguir, pois contam com a determinação dos instintos, com o fluxo natural de troca de energia e matéria. Mas nós, humanos, temos uma diferença básica – **a consciência**. Até onde sabemos, somos a única espécie que alcançou um nível de complexidade cerebral capaz do autoconhecimento. Isso quer dizer que estamos integrados à natureza e que também a transcendemos. Temos a capacidade de usar o raciocínio para compreender o âmago dos fenômenos que nos rodeiam e dos quais fazemos parte. Portanto, para sobrevivermos, nos sentirmos à vontade no mundo e tomarmos nossas decisões, já não contamos tanto com a orientação dos instintos, mas sim, com a nossa imaginação e criatividade. Por isso somos um ser avaliador. Criamos valores simbólicos que dão significado às nossas vidas. E por serem simbólicos, estão distantes da sua essência, o que torna difícil reconhecermos o caminho melhor, o mais acertado, o mais seguro.

Ser humano, portanto, é ser possibilidades. Somos uma espécie como outra qualquer do planeta, mas também estamos inseridos num contexto social e cultural. Temos necessidade de sobreviver, e também temos o desejo de exercer nossas faculdades e habilidades para o autoconhecimento, para conhecer o mundo e evoluir. Nossos valores garantem nossa sobrevivência física e biológica, e também nos identificam na ordem humana, dotada de consciência e sensibilidade.

O que garante a perpetuação da vida na natureza são os princípios organizadores dos ecossistemas, como descreve o cientista Fritjof Capra. Fazendo uma correlação entre esses princípios e a cultura humana, podemos deduzir quais são os valores humanos essenciais à sustentabilidade social.

Os princípios de **redes de interdependência e parcerias** sustentam a vida nos ecossistemas, numa constante troca de energia e matéria. Também em sociedade somos interdependentes, por isso devemos ser **cooperativos e responsáveis** uns com os outros.

Os **ciclos de vida** na natureza são princípios econômicos organizados que não deixam resíduos, não desperdiçam energia ou matéria, transformando constantemente a natureza em diferentes modos de ser, sem destruição. Nossos ciclos de produção e consumo também são ciclos de transformação e de trocas de energia e matéria constantes, por isso necessitam de uma **organização** sustentável.

A **diversidade** enriquece a natureza e garante vida às futuras gerações. O que enriquece a espécie humana é a diversidade cultural e as diferenças individuais, que precisam ser **respeitadas**, e não segregadas.

A transformação da vida na natureza é resultado da **flexibilidade** entre desequilíbrio e recuperação, possibilitando sempre o retorno ao equilíbrio, preservando as espécies e seus ambientes. Flexibilidade cultural significa **não violência** para a solução dos conflitos que ameaçam a vida humana em coletividade.

A **energia do sol** move todos os ciclos da natureza. E a energia que move o ser humano e o unifica com seu semelhante e com todas as formas de vida é sua sensibilidade emocional e espiritual – **o amor e a compaixão**.

Se as **redes de interdependência e parcerias**, os **ciclos de vida**, a **diversidade**, a **flexibilidade** e a **energia do sol** são princípios que sustentam a vida na natureza, então a **responsabilidade**, a **cooperação**, a **organização**, o **respeito**, a **não violência**, o **amor** e a **compaixão** devem ser os valores essenciais para sustentar a vida humana, física, mental, emocional e espiritualmente. E na teia da vida, entrelaçando os princípios fundamentais e os valores essenciais, alcançaremos o grande poder humano: criar, transformar, amar e compartilhar a vida com todos os seres do planeta.

Se esse é o caminho para a sobrevivência humana, então de onde surgem a competição e a dominação, tão incompatíveis com nossos valores essenciais, e que têm levado o ser humano à violência e à destruição da vida? Talvez venham de nossas escolhas equivocadas em busca de evolução e desenvolvimento. A partir da Era Industrial, os valores humanos foram definidos pelo poder de controle sobre a natureza: supervalorizamos os bens materiais, perdemos o contato com a essência natural da vida, substituímos a energia viva (pessoas e animais) pela energia mecânica, e cada vez mais dependemos e nos identificamos com a máquina. O desenvolvimento econômico passa a ser a base da ética, determinando que algo deve ser feito só por ser tecnicamente possível fazê-lo, e não por ser necessário, belo, ou bom para todos.

Afastamos doenças e prolongamos a vida, mas a um preço que poucos podem pagar. Há milhares de produtos para o conforto doméstico, mas a maioria não tem sequer onde morar. A comunicação e a informação estão amplamente disponíveis, mas uma grande parcela da população do mundo ainda não é alfabetizada. Há naves espaciais conquistando o universo, mas aqui na Terra ainda se morre de fome. O progresso e a qualidade de vida são definidos pela quantidade. O trabalho tem sentido utilitarista, o ser humano é explorado de forma impessoal, assim como os demais recursos da natureza. A eficiência imediata e a produção máxima têm custado a perda da identidade humana e gerado grandes catástrofes ambientais. A produção de riquezas é produção de dinheiro, acumulado por poucos, gerando a miséria da maioria. A experiência de felicidade foi substituída pelo prazer imediatista do consumo máximo.

Mas estamos constatando, que os valores atuais, o paraíso do consumidor, não trouxeram a felicidade prometida, pois são valores artificiais e discrepantes com a natureza humana, e ter que agir diferentemente do que pensa ou sente torna o humano culpado, infeliz, doente e desconfiado de si mesmo e dos outros. Freud já assinalava, no início do século XX, que o avanço da civilização era inversamente proporcional à saúde psíquica do ser humano.

Então, se o desenvolvimento econômico vai bem e o ser humano vai mal, o que fazer? Ou continuamos como estamos, e assistiremos em breve ao colapso de todo o sistema, pelo agravamento das patologias humanas e da violência, ou reorganizamos o sistema, para o desenvolvimento humano e o bem-estar de toda a vida na Terra.

Ao que tudo indica, não desistimos da utopia de equilíbrio com a natureza. O grande movimento atual, apesar das resistências, é pela reorganização do sistema, pela reapropriação dos valores humanos essenciais. Desde a década de 1970 surgem vários movimentos sociais em prol da cooperação e da solidariedade: ONGs, associações de bairros, movimentos de cidadania, políticas empresariais de responsabilidade social, a Carta da Terra, a Agenda 21, a proposta da educação ambiental em todos os níveis escolares e todos os segmentos sociais. Tudo isso expressa o desejo crescente de transformação dos nossos valores, atitudes e responsabilidades.

A transformação dos valores, portanto, faz parte da evolução humana, reorganiza a vida e gera efeitos sobre o futuro. Depende da nossa escolha. Quando fazemos a escolha acertada, evoluímos e melhoramos o mundo; exemplos disso são a crescente liberdade de expressão das mulheres, das crianças, dos homossexuais, do trabalhador, dos diversos grupos culturais e religiosos e os corajosos movimentos para a revitalização de bacias hidrográficas, a recuperação de florestas e a proteção de várias espécies animais. Em contrapartida, quando fazemos escolhas equivocadas, perdemos a felicidade simples – pisar na terra, andar na chuva, se lambuzar de manga, subir em árvores, contar estrelas, ouvir o canto dos pássaros, cheirar uma flor, brincar de roda, ouvir estórias, recitar poemas, olhar a lua, fazer crochê, sentir cheiro de bolo assando, escrever cartas, ser patriota, tocar as pessoas, amar sem medo.

Creio que estejamos de fato reagindo contra os valores que ameaçam nossa possibilidade de sermos humanos e recuperando o espaço de convivência entre o velho e o novo, em que, sem dúvida, é enorme a responsabilidade do educador ambiental. Esse momento exige respostas rápidas, principalmente da escola, lugar das maiores queixas da perda de valores: o aluno sem limites; a instituição sem autoridade; a família ausente; o educador carente de recursos, de salário justo, de reconhecimento social. Certamente, a responsabilidade pela transformação não é só da escola, mas se ela se acomodar estará sendo cúmplice de uma situação grave. Melhor, então, é enxergar esse momento não como de perdas, mas como de possibilidades de novas articulações, novas identificações, novas perspectivas de ação no mundo, pois se amplia o limite de ação e a possibilidade de novas escolhas, com liberdade e responsabilidade pelas consequências.

O educador de hoje não pode ser mero executor, um cumpridor de normas, seguidor de livros-textos e planejamentos preestabelecidos. Ele precisa ser um criador, alguém que pense um projeto educativo compartilhado por toda a comunidade, resgatando o papel social da escola; alguém com espírito democrático, capacidade de diálogo, respeito ao conhecimento do outro, percepção aguçada e compreensão dos valores humanos essenciais. Dessa perspectiva, a educação ambiental vai além da sala de aula, extrapolando os conteúdos programáticos e estendendo as atitudes do cotidiano a todos os espaços e esferas da realidade e da vida, num exercício de responsabilidade compartilhada.

Isso é o que propõe a educação ambiental na perspectiva da ecologia integral: o cuidado pessoal em todos os níveis, físico, intelectual, emocional e espiritual; o sentir, pensar e agir comprometido com a vida em sociedade, respeitando os direitos universais do ser humano (direitos que temos por sermos da mesma espécie, anteriores a toda distinção e toda ação cultural, econômica, política, racial) e ampliando esse direito a todos os seres da natureza, pois a vida é o valor supremo, e a ninguém é permitido destruí-la.

Nesse contexto, a função do educador ambiental é transmitir a esperança; encontrar alguém em quem acreditar abre novas dimensões de sentimentos, e a esperança pode germinar, como a semente que encontra solo fértil.

CAPÍTULO 2
CONSCIÊNCIA E CIDADANIA PLANETÁRIA

Quando os astrônomos descobriram que a Terra era um planeta e os navegadores deram a volta ao seu redor, iniciou-se a era planetária. Mais adiante, com as imagens transmitidas pelos astronautas, fomos percebendo que somos os minúsculos habitantes de um enorme sistema, que fazemos parte de uma comunidade de bilhões de seres, e com isso ampliamos nossa consciência planetária. O mundo foi se globalizando, reduzindo fronteiras, tornando próximos os lugares longínquos, aumentando cada vez mais nossa consciência do quanto estamos todos interligados. O simples ar que respiramos é exemplo dessa unicidade, pois ele é compartilhado por todos os seres vivos do planeta: o mesmo ar que está dentro de um ser humano hoje pode estar em algum animal ou planta amanhã, assim como esteve ontem em qualquer lugar, mantendo a vida de outros seres.

Essa conexão nos mostra que o destino de cada um está inscrito num cenário de escala planetária. A visão de mundo fragmentada vai sendo substituída pelo conhecimento das interligações nos planos econômico, científico, cultural, político e, obviamente, na natureza. Esse é o conceito de planetariedade sugerido por Gadotti, apontando a responsabilidade de todos pelo futuro comum da Terra.

Essa percepção opera mudanças na nossa mentalidade e no nosso comportamento; nos possibilita construir uma nova civilização pautada no respeito e na responsabilidade de todos os seres que compartilham a Terra. Isso significa nos reconhecermos como cidadãos do planeta, e cidadania quer dizer o exercício consciente e democrático dos nossos direitos e deveres. Esse princípio deve orientar nossas vidas e também nossa forma de pensar a educação. É pela educação que poderemos criar o novo cidadão planetário dentro de princípios, valores, atitudes e comportamentos que reconheçam a Terra como uma única comunidade.

Construir a cidadania planetária depende de uma pedagogia vivencial, intuitiva, dinâmica e experiencial. É o fazer e o refazer cotidiano na comunicação, na participação social e na valorização da diversidade. É substituir o mero raciocínio pela imaginação e a reflexão. Raciocinar é repetir, imaginar é criar.

A educação ambiental que forma o cidadão planetário trabalha em prol da solidariedade em escala mundial; ela se abre à compreensão do outro e constrói a civilização da simplicidade, da igualdade e da alegria compartilhada. Seu objetivo é uma sociedade justa, equitativa e includente, constituída de valores e relações baseados em direitos humanos, democracia e participação. "Educar nesse sentido, então, não seria apenas a transmissão da cultura de uma geração para outra, mas a grande viagem de cada indivíduo no seu universo interior e no universo que o cerca", diz Moacir Gadotti.

CAPÍTULO 3
DIREITOS HUMANOS OU DIREITO À VIDA?

O ser humano, com uma visão individualista e competitiva, se outorgou o direito e o poder de apropriação de todos os recursos da Terra, de subjugar seu semelhante mais frágil, além de todas as espécies e culturas "diferentes". Isso mostra que estamos aptos a viver, mas não a conviver, pois aumentamos a exclusão social e declaramos guerra às outras espécies da Terra. Com tantas consequências desastrosas, tivemos que criar estatutos, leis e declarações universais que controlassem as ações humanas e garantissem o direito à vida aos mais frágeis, pois parece que perdemos o senso natural de justiça, de equidade e de amor ao próximo e à vida. É espantoso, mas precisamos da ameaça de sanções para agirmos da forma que deveria ser espontânea, natural. É preciso leis que obriguem os pais a cuidar dos filhos, o jovem a respeitar o idoso, o adulto a não maltratar a criança, o Estado a socorrer os necessitados. É preciso proibir de roubar e de matar o semelhante. É preciso proibir a poluição dos rios, os maus-tratos aos animais, a devastação de florestas etc.

Não precisaríamos de tantas leis instituídas se respeitássemos a lei da natureza, que é o direito natural à vida. Cada ser vivo ou cada comunidade cultural, movido(a) por suas emoções e seus interesses, tem o direito de escolher seu caminho, sua harmonia, sua felicidade, sua maneira de solucionar conflitos. Não compete a ninguém impor ao outro um único modelo cultural como se fosse o mais certo ou o mais legítimo. Por essa arrogância é que tantas culturas minoritárias, "diferentes", acabam sendo desalojadas de seu jeito de viver, tornando-se errantes, aculturadas, infelizes. É assim que criamos grupos segregados e acirramos conflitos sociais. É assim também que exterminamos várias espécies não humanas, por serem consideradas "inúteis ou nocivas" à vida humana. Ou seja, nem mesmo todas as leis que criamos têm sido suficientes para impedir ou limitar a violência humana.

Carecemos de uma rápida mudança nas nossas relações de convívio com nosso semelhante e com a natureza, a qual seria pautada não em leis instituídas, mas no direito outorgado a todos – o direito à vida. Nesse sentido, nenhum indivíduo humano é inferior ou superior a outro no ambiente cultural, assim como nenhuma espécie é inferior ou superior a outra no ambiente natural. Cada um se situa no plano compatível com sua função na teia da vida, no complexo sistema de cooperação, interdependência, diversidade e flexibilidade que perpetua a vida na Terra.

CAPÍTULO 4

TOLERÂNCIA: UMA ÉTICA PARA A PAZ

O desejo de paz e felicidade parece inerente ao ser humano. Marcamos datas – aniversário, Natal, Ano Novo – para desejarmos e planejarmos ser felizes. No entanto, estranho paradoxo, nossa história é marcada por guerras e violências. Por que não conseguimos a paz e a felicidade que tanto desejamos?

Sabemos que nos primórdios da nossa história as intempéries da natureza e as doenças representavam perigos e sofrimentos reais e inevitáveis às tribos nômades, que viviam sempre em busca de lugares com melhores condições de vida, e que também tinham um nível de organização solidária: cada um carregava o que era necessário para todos – água, alimento. Do cumprimento da função de cada um dependia a sobrevivência de todos, formando um vínculo de responsabilidade e confiabilidade entre os membros da comunidade. Quando se iniciam as fronteiras, principalmente as agrícolas, cada um passa a resolver a sobrevivência apenas para si e para seu núcleo mais próximo – acumula seu alimento e sua água, e defende seu território individual. O outro, então, se torna um inimigo potencial, pois quer ou precisa do que não tem, e isso faz emergir o sofrimento oriundo da desigualdade, da competição. Ao longo da história trocamos a coletividade pelo individualismo, mesmo estando cada vez mais perto uns dos outros. Hoje, as residências, principalmente nos grandes centros urbanos, são tão próximas que escutamos toda a movimentação do vizinho, mas muitas vezes não sabemos sequer o seu nome. Cada um tranca a sua porta, coloca o seu som na altura que lhe agradar, liga sua televisão ou seu computador e se esquece de que existe um mundo ao seu redor. O ambiente coletivo está repleto de uma violência que extrapolou o desentendimento entre as nações e invadiu os lares, as ruas, o trânsito, os estádios de futebol e até as escolas – antes o lugar sagrado da educação, hoje palco de variadas formas de agressão.

A tecnologia e a ciência nos acenaram com a perspectiva da felicidade, tentando afastar todo o sofrimento. De fato, podemos nos proteger dos fenômenos naturais, evitar e curar doenças e até protelar a morte ao máximo, mas, ao mesmo tempo, ampliaram-se os horrores das guerras e das catástrofes ambientais. O sofrimento moderno se origina, então, do estresse, da ansiedade, do pânico, da insegurança, da miséria e da desigualdade social. Não é um sofrimento inevitável, nem se deve à falta de conhecimentos, mas sim ao modo como nos relacionamos uns com os outros e com a natureza, pois, à diferença das comunidades nômades, valorizamos a competição, a exploração e a posse. Na vida moderna, ganhamos em autonomia, mas perdemos em segurança quando nos afastamos uns dos outros. O Dalai Lama, avaliando essas relações contemporâneas, diz que "o outro não é importante para minha felicidade e a felicidade dele não é importante para mim". Ele considera o sofrimento moderno como resultado da nossa negligência com a dimensão interior, com as qualidades relacionadas à espiritualidade, tais como amor e compaixão, paciência, tolerância, capacidade de perdoar, responsabilidade, que trazem felicidade tanto para a própria pessoa como para os outros.

> Nossos problemas, tanto aqueles que enfrentamos externamente – as guerras, os crimes e a violência – quanto os que enfrentamos internamente – emocionais e psicológicos – não podem ser solucionados, enquanto não cuidarmos do que foi negligenciado (DALAI LAMA, 2000, p. 28).

Em sua filosofia, o que importa é sermos uma pessoa boa, escolhendo um jeito melhor de fazer o que tem que ser feito, colocando qualidade pessoal no que se faz.

Isso é ética, uma atitude individual, deliberada, que implica abrir mão de um bem individual pelo bem comum. O que nos diz se uma ação é ética é seu efeito sobre a vida do outro: depende da intenção e da natureza da ação, não de princípios morais impostos culturalmente. "Depende do estado geral do coração e da mente do indivíduo. Quando este estado é sadio, as ações serão eticamente sadias, contribuindo para o bem estar do outro", explica o Dalai Lama. Essa é uma forma de entender a paz e a felicidade não como uma simples ausência de conflito ou sofrimento, mas como um estado de tranquilidade e uma sensação de segurança advindos da tolerância e do respeito aos direitos do outro. E, se somos tolerantes com a nossa espécie, também saberemos ser com as outras.

A educação ambiental para a tolerância e o respeito se baseia na compreensão de que somos uma única e interdependente comunidade planetária. Somos responsáveis pelo contexto ao qual pertencemos, pela construção e não destruição da vida. Podemos fazer do mundo um lugar melhor quando não somos motivo de sofrimento para o outro.

CAPÍTULO 5

O CONFORTO COTIDIANO: QUANTO CUSTA?

Voltamos para casa à noite, deixamos o carro na garagem, acendemos as luzes, tomamos um banho com água abundante e quentinha, vestimos uma roupa limpinha, pedimos pizza e refrigerante pelo telefone, jogamos as embalagens no lixo, ligamos o ar condicionado e a televisão para esperar o sono chegar, e quando muito reconhecemos: Que vida boa! Ter água saudável dentro de casa, energia elétrica, roupas limpas, alimentos com pronta-entrega e transportes variados é um conforto tão disponível e farto em nosso cotidiano, que quase nunca nos perguntamos: Qual o seu custo, de fato? De onde ele vem ou quem o produz? A água e a eletricidade parecem brotar das paredes da casa; os meios de transporte parecem autômatos de lá para cá; os alimentos, é como se já nascessem embalados nos supermercados; e nosso lixo desaparece de nossas vistas, como se não o tivéssemos produzido.

A ideia, difundida nas últimas décadas, que relaciona a felicidade humana com o aumento cada vez maior do conforto promoveu o progresso industrial e econômico, mas, em contrapartida, causou muitos danos: um extraordinário aumento da população, a escassez dos recursos naturais, a degradação do solo cultivável, as alterações climáticas, a rápida extinção de muitas espécies e, sobretudo, a segregação e a injustiça social. Tudo isso é consequência de não compreendermos bem como o mundo funciona e sequer nos darmos conta de que o conforto da nossa cultura resulta do sacrifício de muitos elementos da natureza – animais, minerais, vegetais –, além do sacrifício de outros seres humanos, que têm sentimentos, sonhos e desejos, e, o que é pior, muitas vezes não podem usufruir desse conforto.

- Quem imagina o batalhão de profissionais necessário para fazer chegar água tratada e abundante nas residências? Numa rotina de 24 horas, eles tratam e distribuem a água captada dos mananciais, entram em valas profundas, corrigem vazamentos e desentopem esgotos, expostos a riscos de toda ordem.
- Quem já pensou na quantidade de operários necessária para gerar energia elétrica para as residências e indústrias? Eles passam o dia inteiro movimentando barulhentas turbinas que lhes prejudicam a audição e, muitas vezes, o equilíbrio neurológico.
- E o combustível extraído do petróleo que move veículos e aparelhos, que desde a extração até as refinarias exige o confinamento de operários em galerias insalubres e nas plataformas em alto mar dentro de cápsulas submersas?
- E os operários agrícolas, muitas vezes trabalhando em regime de escravidão, que lavram, plantam e colhem e costumam não ter o que comer?
- Quantos mineradores passam horas e horas dentro de galerias profundas e insalubres ou à beira de altos fornos, extraindo minérios e transformando-os no aço que produzirá carros, joias, relógios, computadores, geladeiras e mais uma infinidade de objetos para o nosso bem-estar?
- O pão fresquinho da manhã é assado por alguém de madrugada. O lixo some da nossa vista porque os garis correm dia e noite atrás do caminhão coletor. As pizzas chegam à nossa porta porque os entregadores desafiam com suas motos o trânsito caótico da cidade.

Ter consciência de quanta energia humana é necessária para gerar a energia elétrica, a água tratada e o alimento que desperdiçamos sem o menor constrangimento; do desgaste físico e emocional dos garis para recolherem o lixo que produzimos em abundância; dos riscos a que se expõem os entregadores de pizza, os mineradores e operários industriais e tantos outros profissionais encarregados do nosso bem-estar, segurança e saúde provoca uma mudança em nossos valores e atitudes. Usufruir do conforto que temos com responsabilidade, respeito e gratidão é o mínimo que devemos àqueles que o produzem.

CAPÍTULO 6

CONSUMISMO: ILUSÃO DE FELICIDADE

O século XXI, a era do hiperconsumo, de uma economia de mercado que cria falsas necessidades, incita as pessoas à compra de produtos supérfluos e à troca constante do que antes eram bens duráveis: casas, carros, móveis, eletrodomésticos. Os comerciais passam a ideia de que seremos mais felizes e teremos uma vida melhor se comprarmos determinado produto, ou, ainda, de que seremos inferiores se não tivermos alguma coisa que todo mundo tem. Então compramos o que não precisamos para não nos sentirmos piores que o outro.

Assim é a lei do consumismo sem propósito: se tenho dinheiro, compro o que quero sem pensar. E depois de pouco tempo tudo será lixo. Estima-se que quase metade do que compramos seja nada mais que lixo. São toneladas de embalagens de todos os tipos (plástico, isopor, vidros, papéis), além de produtos descartados depois do uso (pneus, fraldas, preservativos, baterias etc.). Criamos excêntricos hábitos de consumo, mas ainda não encontramos uma solução definitiva para o nosso lixo. E enquanto nem a indústria nem o consumidor assumem a total responsabilidade por esses resíduos, milhares de famílias vivem da "catação", disputando com urubus, roedores e insetos o material reaproveitável nos lixões. Os bueiros e esgotos estão constantemente entupidos, os vetores de doenças se proliferam, há cidades sujas e rios mortos.

As propostas de reciclagem e reutilização não solucionam o problema, pois tais processos necessitam de mais matéria-prima, mais mão de obra e geram mais resíduos. Ainda que haja uma preocupação com a sustentabilidade nos processos produtivos, estamos longe do modelo de sustentabilidade dos ciclos de vida da natureza. Num verdadeiro processo de reciclagem, cada planta ou animal só utiliza os recursos estritamente necessários à sua sobrevivência, e todo resíduo produzido é imediatamente absorvido por outros seres vivos, sem poluição, sem desperdícios, renovando a vida no planeta nesses milhares e milhares de anos. Mas a nossa voracidade de consumo é inversamente proporcional ao paciente e metódico ciclo de recarga da natureza. Enquanto uma palmeira leva vários anos para se tornar uma árvore adulta, nós levamos poucos minutos para derrubá-la e devorar-lhe alguns centímetros de palmito (e o pior, sequer temos capacidade para reconstituí-la nos mesmos minutos, nem em horas ou dias). Além disso, de todos os resíduos que geramos, poucos são reciclados pela natureza, a maioria não se transforma em vida novamente.

Na última década surgiu na América do Norte o movimento Simplicidade Voluntária, sugerindo que vida simples é vida com o suficiente, o essencial; que é preciso repensar quais valores são realmente importantes. Vicki Robin, uma das fundadoras, argumenta: "Muitas vezes as pessoas nem se dão conta de que têm muito, consomem muito, fazem tudo muito rápido e não têm tempo para fazer o que realmente querem".

A educação para o consumo consciente, sem dúvida, deve ter como foco principal as crianças, pois elas estão mais vulneráveis ao bombardeio dos comerciais incitando-lhes desejos pelo que não necessitam e provocando-lhes o sentimento de inferioridade por não terem o que "todo mundo tem". É preciso que elas saibam de onde vem e para onde vão todas as coisas que consumem, que reconheçam o que é supérfluo e o que é realmente necessário para sobreviver e ser feliz. E, na opinião do escritor Affonso Romano de Sant'Anna, necessitamos de pouca coisa: "[...] de uma casa, do amor, da família, de meia dúzia de objetos e amigos e de sermos respeitados."

CAPÍTULO 7
LIXO E RECICLAGEM: MAIS QUESTÕES QUE RESPOSTAS

A proposta de reciclagem como solução para nossa incontrolável produção de lixo é, no mínimo, questionável. Selecionar os resíduos em três ou quatro itens para transformá-los em novos produtos demanda outra série de produtos e serviços. A que custo? Até quando? Qual o ganho para a natureza? E para a sociedade?

O processo de reciclagem mais difundido é apenas a reutilização de algo descartado para confecção de outro produto também descartável, por exemplo, as vassouras de PET. Para onde irão quando estiverem inúteis? Reciclagem de fato é o que faz a natureza, renovando a vida sem criar resíduos inúteis. O excesso de água no solo, nas plantas e nas pessoas é evapotranspirada e retorna ao ciclo da água, preservando sua mesma quantidade desde que o mundo é mundo. É também o que ocorre no ciclo da vida: o gafanhoto come a folha, a codorna come o gafanhoto, a raposa come a codorna, o corvo come a raposa, que depois de decomposta devolve os nutrientes à terra para sustentar a folha, que é comida pelo gafanhoto, e o ciclo recomeça... infinitamente. Assim, na natureza, todo resíduo é totalmente reinserido no ciclo de perpetuação da vida.

Se todo papel voltasse a ser papel infinitamente, se todo vidro voltasse a vidro, se todo plástico virasse outro plástico, o processo produtivo seria perfeito. Mas, isso não acontece, há um limite em que nem o papel, nem o vidro, nem o plástico são novamente recicláveis. Talvez isso ocorra com o alumínio, pois cada latinha poderá ser outra, evitando a extração de bauxita, ou com a compostagem de matéria orgânica, que recupera os minerais fertilizantes do solo. Ainda assim, existem outros produtos agregados a esses que impedem a total reciclagem, tais como tintas e outros produtos tóxicos.

Não que a coleta seletiva ou as tentativas de reciclagem sejam inúteis, mas se não houver um processo que considere todos os resíduos e todos os custos gerados seguiremos nessa prática equivocada, numa solução linear, conseguindo apenas um breve alívio para a capacidade dos aterros sanitários ou lixões. Um processo de reciclagem tem que considerar que, excetuando a matéria-prima "gratuita", toda cadeia de (re)produção – energia elétrica, água, tecnologia, mão de obra, transporte etc. – tem um custo. De quanto e para quem? Toda cadeia produtiva tem resíduos. Para onde irão? Todo produto reciclado tem prazo de validade. Para onde irá depois? Por mais que sejam úteis os produtos da reciclagem, jamais serão mais necessários ou mais baratos que os novos (vassouras, vasos, bijuterias etc.) e jamais utilizarão todo o resíduo disponível.

Além do mais, a reciclagem como solução para o consumo desenfreado provoca um alívio no "sentimento de culpa" do consumidor: pode-se gastar quanto papel quiser, porque será fonte de renda para os catadores. Isso soa como os hipócritas que dizem sujar as ruas para garantir emprego aos garis. Também mascara a obrigação de muitas indústrias que doam seus resíduos às cooperativas de catadores: eles não diminuem seus resíduos, nem seus lucros, e ainda chamam isso de responsabilidade social. Em síntese: a economia agradece, mas a natureza desaparece, pois os recursos naturais continuam sendo extorquidos sem limites: árvores, minérios, animais.

Quais são as saídas em médio e curto prazo? A reorganização do ciclo produção e consumo e uma ação sistêmica que considere todos os elementos – natureza, produtor, produto, consumidor e resíduo. Para isso, é necessário uma mudança radical, desde a inovação tecnológica industrial, otimizando o uso dos recursos naturais e reabsorvendo os resíduos gerados, até a opção individual pelo consumo responsável e consciente.

Uma educação ambiental que forme a nova consciência de produção e consumo é a base de uma sociedade que valoriza mais a vida que o capital, que compreende que a Terra não precisa da nossa espécie, nós é que precisamos dela.

CAPÍTULO 8
AMOR: UMA PRÁTICA PEDAGÓGICA

"Se não amarmos a natureza não existe a menor possibilidade de que ela seja preservada", reflete o educador Rubem Alves, sobre a ideia de que "mundos melhores não são feitos, eles nascem. E nascem de onde? Do amor. O único poder de onde as coisas nascem". Ele admite que isso é considerado piegas pelos cientistas da educação mais preocupados com o conhecimento, e completa: "O que nos falta não é conhecimento. É amor. Para isso sou educador. Desejo ensinar o amor."

Então pergunto: primeiro, há instrumentos pedagógicos para ensinar o ser humano a amar? Segundo, afinal, o que é o amor? Existem muitas explicações e definições para o amor. Por vezes ele aparece identificado a um presente para o dia das mães ou dos namorados. Outras vezes é a paixão desmedida, o prazer egoísta de querer ser dono de alguém. Abnegação, identificação, dedicação, desejo, afeição, união, há muitas outras maneiras de se falar dele, mas nenhuma encerra um significado definitivo que possa ser capturado (cientificamente) pela pedagogia e ser transformado em lição.

Envolvida nessas reflexões, uma cena na rua me chamou atenção. Uma moça simples levava pela mão uma criança bem vestida e com traços de deficiência mental. Concluí que seria uma cuidadora levando a criança para a escola. A criança ria aquele riso distante dos que não têm a referência do mundo "normal", e a moça ria com ela, fazendo-lhe gracejos para que continuasse rindo. As duas estavam alegres, tamanha a cumplicidade dos gestos, do olhar de uma para a outra, sem constrangimentos, sem exageros, apenas riam. É muito fácil rirmos e nos divertirmos com uma criança sadia, alegre e ruidosa, mas uma criança deficiente quase sempre causa consternação em alguns ou indiferença a outros. Aquela criança podia apenas rir sozinha, segurada pela mão de quem cumpria seu dever, mas, ela estava sendo considerada pelo olhar da moça, que acolhia e compartilhava o seu riso. Então considerei: isso é amor, um acolhimento incondicional do outro, exatamente como ele é. Fiquei imaginando onde aquela moça teria aprendido a ser tão amorosa. Pelos seus trajes e sua função modesta, poder-se-ia imaginar que não teria frequentado muitos bancos de escola. Mas estava visivelmente em sintonia com aquela criança, compartilhava sua dimensão, seu momento, seu jeito de ser, seu mundo especial. E agia espontaneamente, com uma sensibilidade natural, que não vinha de nenhum código de valores sociais que determina como tratar pessoas "diferentes". Era apenas uma atitude amorosa, uma opção pela alegria, não aprendida em manuais, mas vinda do coração.

O ser amoroso é assim, sensível, age pelo coração, percebe o outro como extensão de si, seja uma pessoa, uma planta, um animal, um rio, enfim, qualquer ser é digno desse amor, pelo simples fato de viver. E como aprender essa arte do acolher e cuidar do outro com amor incondicional? Nosso processo educacional normalmente toma o caminho inverso, aprendemos a negar nossos sentimentos espontâneos em vez de expressá-los e valorizá-los. *"Engula o choro", "abafe o riso", "homem não chora", "não está doendo nada", "coma sem vontade", "durma sem sono", "acorde com sono", "não diga bobagens", "chega de 'por quês'"*, são expressões que bloqueiam a autoestima, confundem a autopercepção. Não pode ser sensível com o outro quem não o é consigo mesmo. Quem não sabe o significado dos seus próprios sentimentos não saberá o dos outros. Quem não sente amor por si não sentirá pelo outro. Quem não cuida de si não cuidará do outro.

Educar para o amor é despertar para a plenitude de todos os sentidos, para a percepção consciente de integração com o mundo. E isso não se ensina só com palavras, mas com atitudes. Se o educador considera seu trabalho como uma contribuição para a criação de um mundo melhor, se é capaz de dar o melhor de si, apesar das adversidades, sem esperar condições favoráveis para amar seus alunos, se sabe falar, ouvir, considerar e mudar, então pode ensinar o amor.

CAPÍTULO 9

GENTE DO CAMPO: A SABEDORIA DA SIMPLICIDADE

O percurso da civilização, sem dúvida, é marcado pelo distanciamento entre o ser humano e a natureza. Com a nossa capacidade criativa modificamos o ambiente para nos proteger dos perigos e das intempéries, mas a descoberta da transmissão de doenças pelo contato com os micro-organismos fez a proximidade com as criaturas da natureza nos parecer ameaçadora. Então, desconsideramos a função integrada e interdependente dos ecossistemas e declaramos guerra a todos os seres que ameacem a saúde humana. Aprendemos a não pisar na terra "suja", a não "tomar friagem" na chuva, a não beber "água contaminada" das nascentes, a não tomar banho nos "perigosos" rios e, por fim, classificamos os animais silvestres como nossos "inimigos naturais", peçonhentos e ofensivos.

Quem não se lembra do Jeca Tatu, o caipira do sertão, pobre, magro, triste e barrigudo? Inadaptado à civilização, avesso aos hábitos de higiene, de calcanhares rachados porque não gostava de usar sapatos. O exagero higienista urbano e a modernização industrial fizeram dessa criatura de Monteiro Lobato o símbolo do atraso e da ignorância da população rural. E durante muito tempo a sabedoria do campo foi tida como superstições, e sua expressão artística e cultural foi desconsiderada. Hoje, busca-se resgatar e valorizar as tradições culturais do meio rural: o artesanato, a culinária, as festas religiosas, as modas de viola. Voltar nosso olhar à gente simples do campo não é pretender que vivam à margem da modernização, como num paraíso perdido só para a contemplação e o lazer do cidadão urbano, pois o ser humano é transformador da realidade, e o desejo por educação, saúde, conforto, estética e funcionalidade também é inerente a essas pessoas. O que devemos é valorizar e respeitar seu modo de vida, seu trabalho, sua identidade cultural, sua naturalidade.

É comum que os jovens urbanos de hoje tenham perdido a conexão com as fontes naturais. O mundo virtual está mais presente que o natural. A educação ambiental pode ajudar a reconstruir essa conexão, afinal, tudo que usufruímos na cidade vem dos trabalhadores do campo, que com sua criatividade e sabedoria lutam pela preservação da natureza, de onde tiram o seu pão de cada dia e abastecem a nossa mesa.

CAPÍTULO 10

OS ANIMAIS: SERES COM DIREITO À VIDA DIGNA

O bem-estar do ser humano se fundamenta no princípio ético dos seus interesses. Mas como garantir o bem-estar dos animais e considerar também os seus interesses? Em nossa visão antropocêntrica, acreditamos que os animais existam para nosso prazer e conveniência, por isso atribuímos maior peso aos interesses da espécie humana. Mas o fato de não pertencerem a nossa espécie não nos dá o direito de explorá-los, nem de pensar que por serem irracionais os seus interesses não precisam ser considerados. A autoconsciência não habilita o humano a uma prioridade de consideração, nem o caracteriza como o ser mais valioso. O valor da vida não está na espécie em si. A vida do ser consciente, capaz de raciocínio abstrato e planejamento, não é mais valiosa que a vida de um ser que não possui tais aptidões.

O filósofo Jeremy Bentham considerou o interesse como um princípio moral básico, e observou: "A questão não é saber se [os animais] são capazes de raciocinar ou se conseguem falar, mas, sim, se são passíveis de sofrimento". A capacidade de sofrer e de desfrutar as coisas é uma condição prévia para se ter quaisquer interesses. Se um ser qualquer sofre, não pode haver justificativa para não considerarmos esse sofrimento. E como sabemos que um animal sofre? O sistema nervoso de todos os vertebrados, sobretudo pássaros e mamíferos, tem muita semelhança anatômica, o que faz supor que a sensibilidade à dor nos animais seja como a dos humanos. A diferença estaria na consciência, na razão, mas essa diferença não sugere um maior sofrimento por parte do ser humano, talvez até por isso os animais sofram mais, já que, sem consciência do que pode lhes acontecer, não conseguem evitar o sofrimento.

O fato de sermos racionais nos permite, sim, encontrar uma razão para tudo que queremos fazer. Alegamos, por exemplo, que a utilização de animais em experiências científicas leva a descobertas sobre o ser humano que atendem a objetivos científicos vitais e mais aliviam sofrimentos do que os provocam. A maioria, porém, não se justifica, a não ser para atender à vaidade humana, como os testes de xampus e cosméticos (teste de Draize) que são feitos pingando-se soluções concentradas nos olhos de coelhos, ainda usados por muitas indústrias, embora haja métodos alternativos. Ou o teste de tolerância a conservantes e corantes que leva animais à doença e à morte. Em sua maioria, os benefícios para o humano são incertos e a perda para as outras espécies é fato.

Até mesmo em relação aos hábitos alimentares, é questionável se a carne é realmente uma necessidade ou um simples prazer pelo sabor, considerando-se que hoje temos várias fontes de proteínas e não somos como os primitivos que ou comiam os animais ou morriam de fome. Mesmo assim, nada justifica que os animais criados para consumo humano sejam submetidos a métodos cruéis, tratados como máquinas de transformar forragem em carne, leite e ovos. O confinamento, as condições impróprias em espaços exíguos, a castração, a separação de mães e filhotes, as marcas com ferro em brasa, o transporte, a deformação da espécie (frangos com quatro asas e sem bicos e patas) por meio da manipulação genética e, finalmente, o abate envolvem sacrifícios que absolutamente não consideram os interesses dos animais.

São cada vez mais intensos os protestos contra os abusos aos animais, mas ainda continuamos envenenando os peixes nos rios com nossos dejetos e lixos; o comércio de peles e animais raros, mesmo sendo ilegal, movimenta um capital fabuloso; os circos, rodeios e zoológicos fazem do sofrimento animal a diversão do humano; os animais considerados de tração vivem expostos ao sol ou à chuva; os pássaros confinados em gaiolas são separados das fêmeas para cantarem melhor e enfeitarem os jardins; até mesmo os animais chamados de estimação ficam o dia inteiro sozinhos em apartamentos, são forçados a usar roupas inadequadas, a fazer plástica nas orelhas e na cauda e a correr em quentes pistas asfaltadas simplesmente pela vaidade de seus donos.

A luta em defesa dos direitos dos animais ainda é lenta, mas possivelmente tangível. É preciso que a educação ambiental se direcione ao verdadeiro valor da vida, formando novas atitudes em relação aos interesses de todos os habitantes da Terra. De fato, ainda existem milhares de pessoas desrespeitadas em seus direitos humanos, mas isso não justifica ignorarmos o sofrimento das outras espécies que também têm direito a uma vida digna.

Disse-nos Leonardo da Vinci: "Chegará o dia em que o homem conhecerá o íntimo de um animal e, nesse dia, todo crime contra o animal será um crime contra a humanidade..."

CAPÍTULO 11
A ÁGUA NOSSA DE TODA VIDA

A afirmação de que toda a vida na Terra provém da água já era feita pelos antigos filósofos, e cada vez mais a ciência tem confirmado este fato: a vida tem origem na água e constitui a matéria predominante em todos os seres vivos. Seu estado líquido encontrado na Terra é o responsável por toda forma de vida que hoje conhecemos. Apesar disso, pouca atenção lhe dedicamos. Já paramos para pensar em quantos milhões de litros de água consumimos durante a vida?

Consideremos:

- O líquido amniótico, água quentinha e confortável que nos abrigou por tanto tempo no útero materno.
- As toneladas de frutas, raízes, e folhas que nos alimentam e que são constituídas de 70% de líquidos.
- O transporte dos alimentos no nosso corpo pelo sangue – via hídrica.
- Todas as células do nosso corpo constituídas de 70 % de líquido.
- A regulação da temperatura interna do nosso corpo pela transpiração – eliminação de água.
- Todas as substâncias químicas absorvidas por nossas células são dissolvidas em água para atravessarem as membranas celulares.
- Toda a excreção dos produtos tóxicos de nosso corpo é feita por via hídrica - urina, suor.

Mais:

- A energia elétrica que movimenta nossos aparelhos elétricos e eletrônicos e ilumina nossa casa e nossa cidade, proveniente das usinas hidroelétricas.

- A água utilizada nos processos industriais que constroem nossos veículos, aparelhos domésticos, alimentos, roupas, calçados etc.
- A água consumida na agricultura que produz nossos alimentos do dia a dia.

E mais:

- O confortável banho diário.
- O prazeroso banho em mares e cachoeiras.
- Os sucos, refrigerantes ou quaisquer outras bebidas.
- O cafezinho da manhã.
- O pão, o bolo e o biscoito.
- Aquele copo de água fresquinha depois de uma longa caminhada numa tarde de verão.

Mais ainda:

- A serenidade emocional proporcionada pela contemplação dos espelhos d'água.
- As chuvas e as brumas que refrescam a temperatura da Terra.
- As ondas do mar, a neve que cobre as montanhas, as misteriosas brumas e o murmúrio dos rios que inspiram os poetas.
- A água como símbolo de purificação nos rituais religiosos.

Multiplicando tudo isso pelo número de anos que estamos vivos e somando ao trabalho paciente e perseverante necessário à produção e renovação constante desse bem natural, teremos como resultado a gratidão que devemos à natureza pelo que ela tem nos dado sem cobrar absolutamente nada. Mas nos acostumamos tanto à sua disponibilidade e abundância que nos esquecemos de pensar em suas peculiaridades e em sua importância.

No percurso da nossa história, a água, com sua natural tolerância e flexibilidade, vai carreando o lixo e os produtos tóxicos que produzimos e descartamos. Sua capacidade de umedecer o ar vai diminuindo, porque as florestas, suas parceiras, estão sendo dizimadas. Os reservatórios subterrâneos vão secando pela crescente necessidade de consumo humano. Os rios urbanos vão sendo sufocados, revestidos de tubulações e cobertos de asfalto. A chuva vai sendo responsabilizada por catástrofes, porque desce desenfreada pelas ruas das cidades impermeabilizadas com cimento e asfalto e pelas montanhas sem vegetação. Até que finalmente fizemos a dedução lógica: se água é igual a vida, "não água" é igual a "não vida", e isso chamou nossa atenção para o futuro que estamos deixando para os nossos filhos, um mundo sem água, um mundo sem vida.

Essa é a importância da água, simplesmente vida, o que nos remete à responsabilidade e ao compromisso individual para:

- Reduzir a produção de lixos e, sobretudo, não jogá-los nas ruas e nos rios.
- Evitar o consumismo e o desperdício (os processos agrícola e industrial utilizam muita água).
- Exigir das autoridades sanitárias o tratamento dos esgotos domésticos e industriais.
- Reduzir o consumo de água e energia elétrica em nossas atividades diárias.
- Conhecer a história dos rios e participar dos projetos de revitalização de bacias hidrográficas.

Precisamos compreender que a água não é apenas vida, mas é viva, como diz o índio Kaká Werá, "para as comunidades indígenas, a água é mãe, e como tal é respeitada".

CAPÍTULO 12
REPARTIR MELHOR O PÃO

Não existe vida sem alimento, mas a fome no mundo hoje é uma realidade perversa. E a causa dessa fome não está na falta de alimentos, pois nos últimos cinquenta anos a produção de grãos foi triplicada, e o consumo de carne, quintuplicado. Apesar disso, pelo menos um quinto dos habitantes da Terra está subnutrido ou abaixo do peso. Enquanto algumas pessoas passam horas em academias queimando o excesso de calorias consumidas em um dia, outros milhares reviram latas de lixo tentando ludibriar uma fome permanente.

É um quadro alarmante, e o ambiente natural já dá nítidos sinais de sua saturação: erosão do solo, poluição e ressecamento de aquíferos. Será então inevitável, para aumentar as áreas cultiváveis, derrubar as últimas reservas florestais existentes? Estamos sempre assistindo horrorizados aos potentes tratores derrubando grande parte da floresta amazônica, com a justificativa do plantio de grãos. Para quem? Para a criação do gado que será exportado. Ou seja, a destruição desse patrimônio milenar da natureza não saciará a fome da humanidade, mas a fome do truculento mercado.

Contradições tais como, a grande miséria dos que vivem nas áreas rurais de países exportadores de grãos; o investimento em aparatos militares maior do que em produção de alimentos; as grandes perdas de grãos em várias partes do mundo aguardando decisões de preços do mercado; a perda de frutas e legumes pela má qualidade da colheita, das embalagens e do transporte e pelos desperdícios em supermercados, feiras, residências e restaurantes, nos fazem refletir com Gandhi: "A Terra tem o suficiente para o sustento de todos, mas não tem para a ganância de uns poucos".

Parece cada vez mais difícil apelar à sensibilidade dos nossos governantes para que não aumentem mais a produção, e sim repartam melhor o pão. O que ainda nos resta é a esperança de uma educação ambiental focada na simplicidade, na localidade e no respeito à vida. É possível a cada um de nós evitar desperdícios, optar por uma alimentação de maior qualidade e menor quantidade, aproveitar ao máximo os vegetais (cascas, talos, sementes), consumir mais produtos vegetais que animais e cultivar pequenas hortas orgânicas em sítios, escolas, quintais.

Ainda que as ações individuais sejam uma luta de Davi contra Golias, elas são muito importantes, pois quanto maior o consumo, maior a produção, o que sustenta o círculo vicioso dessa economia predatória. Do contrário, veremos exaurir rapidamente o que ainda resta dos recursos naturais da Terra, e aí, então, a fome será implacável com todos, sem distinção.

SEGUNDA PARTE

...E PRATICAR

CAPÍTULO 1
PRÁTICAS TRANSFORMADORAS

Ampliar a percepção ambiental é imprescindível para a prática da ecologia integral e a transformação da realidade. Esse é o principal objetivo das práticas aqui sugeridas. Elas podem acontecer em qualquer lugar: sala de aula, parques, trilhas naturais, e podem ser adequadas a qualquer idade, escolaridade e recursos disponíveis. Elas estão agrupadas em tópicos apenas para facilitar a escolha do educador, mas em todas elas podem e devem ser trabalhadas as relações de interdependência, que é o fundamento da ecologia integral.

Para um melhor aproveitamento

É importante que as práticas estejam dentro de um contexto: um tema curricular ou algo que desperte no educando o interesse pela participação.

Também é importante insistir no respeito à liberdade de expressão individual. Essas práticas não são jogos de competição ou de certo/errado, mas a oportunidade de reconhecer que percepções diferentes enriquecem a aprendizagem, aprimoram o conhecimento de mundo, transformam valores e aguçam os sentidos.

Depois de cada prática, é importante o momento de reflexão sobre a experiência, o que proporcionará o enriquecimento pessoal e coletivo. Nem todos percebem ou sentem do mesmo jeito. A percepção depende de muitos fatores, como, atenção, interesse, preconceitos, conhecimentos etc.

É comum em turmas que um repita o que o outro falou, em vez de expressar a própria experiência. Para que cada um tenha oportunidade de ser mais autêntico, um bom recurso é pedir que escrevam sua experiência antes de falar.

É fundamental que as práticas estejam em coerência com a ecologia integral, evitando consumos desnecessários, desperdício de materiais, de tempo, de energia etc.

CAPÍTULO 2

ECOLOGIA INTEGRAL

Normalmente percebemos o mundo de forma fragmentada, e isso tem consequências para todo o ambiente da Terra. Importa reverter essa percepção, perceber as interdependências, pois tudo tem a ver com tudo.

O TODO E AS PARTES

Objetivo
Perceber a integração de todos os elementos da vida.

Desenvolvimento
Primeiro momento: organizar os participantes em dois grupos, um distante do outro, para que não se comuniquem.

No grupo I, o trabalho será coletivo, interativo.

No grupo II, cada integrante trabalhará individualmente, sem comunicação entre si, com o outro grupo ou com o educador.

O grupo I recebe sua instrução coletiva escrita numa folha de papel.

O grupo II recebe sua instrução individual, também escrita numa folha de papel.

Deixar disponíveis lápis e canetinhas de cores variadas, fita adesiva, cola e tesoura.

Instrução para o grupo I. Todos recebem juntos a instrução abaixo:

Desenhar um ser humano com todos os complementos que acharem necessários.

Instruções para o grupo II. Cada participante recebe apenas uma das instruções abaixo:

1. Desenhar e recortar um braço esquerdo humano
2. Desenhar e recortar um braço direito humano.
3. Desenhar e recortar uma mão esquerda humana.
4. Desenhar e recortar uma mão direita humana.
5. Desenhar e recortar uma perna esquerda humana.
6. Desenhar e recortar uma perna direita humana.
7. Desenhar e recortar um pé esquerdo humano.
8. Desenhar e recortar um pé direito humano.
9. Desenhar e recortar uma orelha esquerda humana.
10. Desenhar e recortar uma orelha direita humana.
11. Desenhar e recortar um tronco humano.
12. Desenhar e recortar um rosto humano.
13. Desenhar e recortar um par de olhos humanos.
14. Desenhar e recortar uma boca humana.
15. Desenhar e recortar um nariz humano.

Observação: dependendo do número de participantes, pode-se ampliar a tarefa do grupo II, pedindo que desenhem sapatos, relógio, blusa etc.

Segundo momento: Os grupos se encontram no mesmo espaço. O grupo I apresenta sua figura humana (colar no quadro, numa mesa ou no chão). Em seguida, o grupo II vai aos poucos compondo uma figura humana ao lado da primeira com as partes isoladas que fizeram.

As duas produções são observadas e comentadas.

Reflexão

Qual a diferença entre as duas figuras humanas? Por que ficaram diferentes? O que isto tem a ver com a nossa vida cotidiana (a escola, a casa, a cidade, a natureza)? Quais as consequências de uma percepção em pedaços? O todo integrado é maior que a soma das partes.

Variações

Em vez de desenhos, pode-se usar massinha de modelar ou argila.

Pode-se também substituir o desenho da figura humana por uma casa ou uma cidade, ou ainda montar uma banda ou uma peça de teatro.

FALSO OU VERDADEIRO

Objetivo

Perceber os paradigmas que formam e deformam nossa percepção de mundo.

Desenvolvimento

Apresentar as afirmativas abaixo, uma a uma, escritas no quadro, em fichas ou no *data show*. A cada frase, os participantes devem opinar se a afirmativa é falsa ou verdadeira, sem justificar o porquê, e o educador vai anotando nos parênteses o total de respostas.

O escorpião é um animal venenoso	F ( )	V ( )
O gato é um animal dócil	F ( )	V ( )
Os índios primitivos eram violentos	F ( )	V ( )
O terremoto é um fenômeno destruidor	F ( )	V ( )
A água é prejudicial ao organismo humano	F ( )	V ( )

Em seguida, todos avaliam o percentual de respostas falsas e verdadeiras para cada afirmativa e realizam uma discussão sobre os paradigmas que determinaram as respostas:

- O escorpião é venenoso ou tem como defesa natural uma substância incompatível com o organismo humano, o que torna sua picada fatal? Para a galinha, o escorpião é um alimento.
- Dizemos que o gato é um animal dócil, mas um rato acharia isso também?

- Os índios primitivos eram violentos ou atacavam em legítima defesa os colonizadores que tomavam suas terras e destruíam sua cultura?
- O terremoto é destruidor ou é um fenômeno natural de movimentação das camadas terrestres que acontece há milhares de anos? Ele só causa danos ao ser humano que está em seu caminho natural, assim como as inundações dos rios, os vulcões, as chuvas etc.
- A água só faz bem ao organismo humano, mas diria isso quem está se afogando, ou quem toma uma água poluída?

Reflexão

Mudança de paradigma: cada fenômeno ou situação só tem significado em relação às circunstâncias. Não existe uma verdade absoluta, tudo é relacional, depende do ponto de vista.

A TEIA DA VIDA

Objetivo

Perceber as relações entre elementos do ambiente natural e do ambiente construído pelo ser humano.

Desenvolvimento

Primeiro momento: os participantes organizados de pé em uma roda jogam uma bola de barbante um para o outro. O educador inicia o jogo prendendo a ponta do barbante em um dedo e enviando a bola a um participante que escolher. Antes de jogar a bola, ele diz o nome de algo que esteja dentro da sala, que tenha sido produzido pelo ser humano (mesa, cadeira, parede etc.). O participante que receber a bola faz a mesma coisa, enrola no dedo a ponta do barbante que recebeu e joga a bola para outro de sua escolha e, assim sucessivamente, até todos receberem a bola e os fios de barbante serem trançados no meio da roda. O educador, que iniciou o jogo será o último a receber a bola de volta. Então ele abre os comentários sobre a percepção que têm do desenho formado ao centro com o barbante (uma teia, uma rede, conexões etc.). Ele reforça que houve escolhas individuais, cooperação, diversidade, energia e relações de interdependência formando aquele desenho: a teia da vida.

Segundo momento: desfazer a teia. O educador reinicia jogando a bola para quem lhe enviou, e antes de jogar a bola relaciona o objeto que disse anteriormente com a natureza. Por exemplo, se disse "mesa" irá dizer o que a mesa tem a ver com a natureza (é de madeira, vem da árvore etc.). Agora, quem recebe a bola vai enrolando o fio de barbante nela. Sucessivamente, todos vão recebendo, enrolando e jogando a bola enquanto fazem as conexões entre os objetos que falaram e a natureza, até desfazer toda a teia.

Reflexão

Tudo está conectado, tudo vem da natureza, nós dependemos da natureza.

Variação

Pode-se escolher outro elemento para ser a conexão central: a água, o lixo, o ser humano etc. A conclusão será sempre de que há uma interdependência entre todos os elementos da Terra, formando a teia da vida.

CAPÍTULO 3
ECOLOGIA DA NATUREZA

Praticar a dimensão da ecologia da natureza é ampliar a percepção do ciclo da vida. É conhecer, conviver e respeitar todas as formas de vida.

A CIDADE DE SUCATAS

Objetivo

Perceber como o ser humano ocupa o espaço da natureza.

Desenvolvimento

Organizar grupos de quatro ou cinco participantes.

Colocar material (sucatas) à vontade (caixas, barbante, fitas, cola, tintas etc.).

O educador conta a seguinte história: "Vocês são pessoas que irão povoar um lugar totalmente desabitado. Ainda não conhecem esse lugar. Então, cada grupo será uma família, que vai construir a sua moradia do jeito que quiser. Só depois levarão sua construção para o local".

Combina-se um tempo (trinta minutos, mais ou menos) para fazerem suas construções como quiserem, sem interferência do educador.

Em seguida, o educador apresenta o local onde vão morar: uma pequena maquete (pode ser de papelão ou qualquer outra forma criativa) construída anteriormente com um rio, uma montanha, e muitas árvores e animais. Cada grupo vai colocando sua moradia no lugar que quiser, em uma ordem estabelecida anteriormente por consenso, votação ou sorteio. (Certamente não caberão todos de forma confortável e harmônica).

Depois os grupos descrevem como ficou a vida naquele lugar e o que significou o jeito como foi ocupado, considerando: Ficou adequado para viver? Quais valores determinaram a construção das casas e a ocupação do espaço? Como vão sobreviver? Houve respeito à natureza e aos outros moradores?

O educador então propõe que eles reformulem a ocupação para uma vida harmônica e agradável. Combina-se um tempo para a reorganização. Depois de reformulada, eles escolhem um nome para o lugar e fazem novas reflexões: Que valores orientaram esse segundo momento? Houve alternativas que não foram utilizadas? Por quê?

Reflexão

Como ocupamos os espaços que frequentamos no dia a dia, em casa, na escola, no trânsito, no ônibus, nos restaurantes etc.: com respeito ou intolerância, cooperação ou competição, destruição ou preservação, solidariedade ou egoísmo?

Variações

Essa prática pode também motivar a elaboração de uma Agenda 21 local. Ou a reflexão sobre valores como cooperação, respeito, organização. Ou a reflexão sobre o ambiente onde vivem.

COMO FUNCIONA A NATUREZA

Objetivo

Perceber que os princípios de funcionamento da natureza sustentam o ciclo permanente da vida.

Desenvolvimento

Realizar uma caminhada por trilhas naturais ou parques e observar o ambiente natural: topografia, geografia, fauna, flora e hidrografia local. Perceber as relações de interdependência e cooperação entre os elementos da natureza sem a interferência do ser humano, e o que acontece depois da intervenção humana.

Reflexão

Quais as consequências da intervenção humana na natureza?

ÁGUA NOSSA DE TODA VIDA

Objetivo

Perceber a relação entre a água e a vida.

Desenvolvimento

Formar grupos de quatro ou cinco participantes. Cada grupo recebe dois ou três cartões com gravuras (de revistas) variadas. O educador pede que cada grupo encontre e explique o que os elementos da gravura têm a ver com água, anotando as conexões numa folha à parte (exemplo: a água do café, do suco, das plantas etc.).

O educador explica que é um jogo cooperativo: toda a turma deve encontrar um número de conexões, por exemplo, cinquenta (essa quantidade vai depender das características de cada turma). Cada conexão feita vale um ponto. Os grupos que forem terminando vão ajudando os outros a ampliarem seu número de conexões, pois haverá um prêmio se toda a turma conseguir o número pedido pelo educador. Se não conseguirem, ninguém ganha.

Depois, as conexões são apresentadas pelos grupos. A cada gravura o educador sugere outras conexões para ampliar o conhecimento sobre os diversos usos da água: indústria, agricultura, saúde, lazer, espiritualidade, poesia etc.

Observação: O prêmio dever ser compatível com o tema.

Reflexão

Tudo tem a ver com a água. Que cuidados devemos ter com a água de cada dia? De onde vem a água que consumimos? De onde vem a água dos rios? Por que pagamos pela água que consumimos?

DRAMATIZAÇÕES

Objetivo

Ampliar a percepção sobre a vida dos seres da natureza.

Desenvolvimento

Formar pequenos grupos e montar esquetes (pequenas cenas) com os temas:

Se eu fosse um cão.
Se eu fosse uma árvore.
Se eu fosse um pássaro na gaiola.
Se eu fosse um rio.

Reflexão

Será que respeitamos o modo de vida das outras espécies?

CAPÍTULO 4

ECOLOGIA PESSOAL

Praticar a dimensão da ecologia pessoal é reconhecer o nosso corpo como um ambiente que necessita de cuidados. Quem cuida de si mesmo cuida do semelhante e de todas as outras espécies. Às vezes, não percebemos que a alimentação descuidada, as noites mal dormidas, os sentimentos reprimidos, a vida sedentária e a falta de atividades agradáveis, poluem nosso organismo, física e emocionalmente.

Para cuidar do corpo, é importante conhecê-lo bem, refletir sobre as atividades do dia a dia, ficar atento às nossas necessidades e como as suprimos. Isso é autopercepção, autoconhecimento.

MAPA DO TEMPO

Objetivo

Perceber e refletir sobre as atividades cotidianas.

Desenvolvimento

Cada participante recebe o modelo do mapa do seu dia (modelo anexo).

O educador os orienta para que preencham os espaços (de 1 hora até 12 horas) de acordo com o tempo que gastam em cada atividade em um dia normal (que não seja domingo, férias ou feriado), usando as cores referentes no mapa. (Exemplo: se alguém estuda durante 6 horas no dia, vai colorir de vermelho do 1 até o 6).

Deixar disponível lápis de cores.

Depois que todos tiverem preenchido o mapa, o educador pede que façam uma avaliação individual sobre o tempo que é dedicado a cada atividade. Como ocupam o seu dia? Quais atividades consomem mais o seu tempo? O tempo é organizado de forma equilibrada? Como o corpo reage quando há desequilíbrio?

Reflexão

O importante é que o educando perceba que somos interdependentes, e quando estamos bem proporcionamos o bem aos outros. Como cuidar melhor de si e dos outros? Como as atividades diárias podem ser mais equilibradas e prazerosas?

Em cada atividade, pode-se perguntar também: para que faço isso? Quando sabemos para que fazemos alguma coisa, entendemos nossos propósitos, compreendemos nossas atitudes, avaliamos as consequências e podemos modificar o que for preciso.

Pode ser feita também uma observação mais cuidadosa sobre os hábitos alimentares e suas consequências para o organismo e para todo o ambiente, por exemplo, a saúde, a produção de resíduos e os desperdícios.

Também é importante verificar que tudo contribui para nosso equilíbrio físico, emocional, intelectual e espiritual. Por exemplo, uma boa música, um bom livro ou um bom filme podem despertar afetividade, criatividade, alegria, prazer etc. Já uma música, leitura ou programa de televisão violentos ou de má qualidade podem nos deixar irritados, agressivos, deprimidos etc.

APRIMORANDO OS CINCO SENTIDOS

Objetivo

Resgatar e ampliar a capacidade de explorar os cinco sentidos, por meio da observação minuciosa do ambiente.

Desenvolvimento

Seguem várias sugestões para se trabalhar cada um dos sentidos. O educador pode trabalhar uma de cada vez e explorar ao máximo a aprendizagem.

Visão

1. Pedir aos participantes que caminhem por um espaço escolhido: a sala de aula, o pátio da escola ou seu entorno utilizando apenas a visão, observando em silêncio o máximo de detalhes. Depois descrevem as percepções para os colegas.
2. Pedir aos participantes que, a caminho de casa até a escola, prestem atenção às coisas, lugares ou pessoas que sempre estiveram ali e nunca foram notados. Depois descrevem para os colegas.

Audição

1. Participantes com os olhos vendados, sentados de forma confortável. Pedir a eles que ouçam com atenção os sons que chegam ao ambiente, que tentem identificá-los e notem as sensações que provocam no corpo. O educador pode também introduzir alguns sons musicais agradáveis ou ruídos desagradáveis. Depois, eles descrevem as percepções para os colegas.
2. Pedir aos participantes que, a caminho de casa até a escola, prestem atenção aos sons característicos do percurso. Depois descrevem para os colegas.

Tato

1. Participantes em duplas: um tem os olhos vendados enquanto outro vai lhe apresentando alguns objetos de formas e texturas diferentes para que sejam identificados pelo manuseio. Depois invertem os papéis e comentam entre si as percepções.
2. Participantes em duplas: um com os olhos vendados molda alguma estrutura com massinha ou argila, sob a orientação de outro. Depois eles invertem os papéis e comentam entre si as percepções.
3. Cabra-cega: os participantes fazem uma roda. Um deles terá os olhos vendados e tentará identificar alguns colegas pelo tato. Depois eles comentam o que facilitou as identificações.

Olfato

1. Participantes em duplas: um tem os olhos vendados e o outro vai lhe apresentando alguns objetos de odores

diferentes para que sejam identificados pelo cheiro. O educador pede que fiquem atentos às sensações que os cheiros provocam no corpo. Depois invertem os papéis e comentam as percepções.
2. Pedir aos participantes que, a caminho de casa até a escola, prestem atenção aos odores característicos do percurso. Depois descrevem para os colegas.

Paladar

1. Participantes em duplas: um tem os olhos vendados e vai identificar os sabores de bebidas que serão oferecidas por outro: água com açúcar, com sal ou com limão. Depois invertem os papéis e comentam entre si as percepções.
2. Todos os participantes preparam juntos uma salada de frutas, enquanto vão descrevendo o sabor, o cheiro e a textura de cada fruta. É também uma prática de solidariedade e cooperação.

Reflexão

Quanto mais ampliamos nossos sentidos, mais conhecemos o mundo, os outros e nós mesmos.

E O TEMPO PASSOU

Objetivo

Perceber como mudam as percepções e os valores infantis.

Desenvolvimento

Formar grupos de dois ou três participantes. Cada um conta uma coisa divertida que fazia quando era bem pequenino. Depois comentam por que hoje já não fazem isso mais.

Reflexão

Estamos sempre em processo de transformação. Às vezes gostamos, às vezes não gostamos das nossas transformações.

SE EU FOSSE ASSIM

Objetivo
Avaliar as qualidades pessoais e a possibilidade de mudanças.

Desenvolvimento
Cada participante escreve em um papel alguma qualidade que não tem mas gostaria de ter. Em seguida escolhe alguém do grupo que tenha esta qualidade e em duplas comentam, a percepção que cada um tem de si e do outro. É possível ter as qualidades que você tem e eu quero ter? Dar tempo para que todos troquem experiências com os pares escolhidos.

Reflexão
O que precisamos aceitar em nós e o que podemos mudar.

FELICIDADE, O QUE É?

Objetivo
Perceber que os maiores motivos de felicidade não vêm das coisas.

Desenvolvimento
Formar grupos de dois ou três participantes. Cada um conta um fato significativo de sua vida, que tenha a ver com pessoas e não com coisas, e que tenha lhe trazido felicidade.

Reflexão
Há coisas que o dinheiro não compra. A felicidade proposta pelo consumismo é falsa. Felicidade não é o mesmo que prazer material.

CAPÍTULO 5
ECOLOGIA SOCIAL

Praticar a dimensão da ecologia social é ampliar a percepção dos nossos valores e atitudes em relação à convivência com nosso semelhante. Uma sociedade de harmonia e paz só é possível se houver solidariedade, tolerância, amor e respeito ao próximo.

CONHECENDO OS COLEGAS

Objetivo
Perceber a si mesmo e a cada um do grupo com suas peculiaridades, formando a diversidade.

Desenvolvimento
Cada participante recebe um crachá, onde escreve seu nome. Formados em roda, todos se apresentam individualmente dizendo alguma característica sua e quais seus sentimentos em relação à turma ou à escola.

Reflexão
As diferenças individuais enriquecem o ambiente coletivo.

UM PRESENTE DE QUALIDADE

Objetivo
Perceber as qualidades do outro e ser percebido pelo outro.

Desenvolvimento

Embrulhar uma prenda várias vezes. Em cada volta do embrulho terá uma qualidade escrita (solidário, paciente, amoroso, simpático etc.). Cada participante receberá a prenda de acordo com a qualidade que o doador lhe atribuir. Quem recebe, abre o presente e passa a outro da mesma forma, até que todos o tenham recebido. O último abrirá a prenda e repartirá o conteúdo com todos (uma caixa de bombons, por exemplo).

Reflexão

As diferenças individuais enriquecem a vida em grupo.

DRAMATIZAÇÕES

Objetivo

Perceber o significado dos diferentes lugares na sociedade.

Desenvolvimento

Formar pequenos grupos e montar esquetes (pequenas cenas) com os temas:
- Se eu fosse um mendigo.
- Se eu fosse um operário.
- Se eu fosse um catador de lixo.
- Se eu fosse um índio.
- Se eu fosse um milionário.
- Se eu fosse um professor.

Reflexão

Quais as causas e consequências das desigualdades sociais? Como promover a justiça social? Por que o "diferente" merece respeito?

ENTREVISTAS

Objetivo

Perceber as mudanças de valores em diferentes épocas.

Desenvolvimento

Fazer entrevistas com pessoas mais velhas da comunidade (escola, bairro, cidade), sobre os costumes e os valores de diferentes épocas. Elaborar relatos, discussões e exposições com o produto das entrevistas.

Reflexão

Observar como os valores mudam constantemente. Quais as causas e consequências dessas mudanças? Por que devemos respeitar os mais velhos?

JORNAL VIVO

Objetivo

Perceber os valores que fazem a diferença na vida coletiva.

Desenvolvimento

Distribuir recortes de revistas ou jornais com diversas notícias do momento. Cada participante lê o seu em silêncio e depois faz um resumo oral da sua reportagem. A turma escolhe a que achou mais interessante e essa notícia será encenada.

O educador pede que criem dois desfechos diferentes para a peça, expressando valores e atitudes antagônicas, tais como cooperação e competição, paz e guerra, união e exclusão etc. O educador poderá agir como ego auxiliar na peça.

Reflexão

Atitudes e valores fazem a diferença no dia a dia.

CAÇADOR DE TALENTOS

Objetivo

Saber como sou percebido pelos outros.

Desenvolvimento

Um participante sai da sala. Ele será o caçador. Os que ficam escolhem alguém que será o talento a ser descoberto pelo caçador. O caçador, ao retornar, faz uma pergunta a cada um dos que ficaram para descobrir quem é o talento. As perguntas e respostas serão simbólicas, dando pistas para a descoberta: o que ele seria se fosse uma planta, um objeto escolar, uma fruta, uma roupa, um alimento, um lugar etc.? Cada participante responde de acordo com a percepção que tem do escolhido, até que ele seja descoberto pelo caçador.

Observação: É importante a sensibilidade do educador para lidar com a percepção dos "defeitos". Também é importante que haja pelo menos uma rodada de perguntas e respostas antes da descoberta, para que o escolhido saiba como é percebido por todo o grupo.

Reflexão

Todos nós temos talentos e defeitos. Às vezes, o que parece um defeito em algumas situações pode ser um talento em outras, por exemplo, uma pessoa muito inquieta pode ser um bom líder.

MAR DE TUBARÕES

Objetivo

Praticar a cooperação, a organização e a solidariedade.

Desenvolvimento

Pedir aos participantes que fiquem de pé em cima de cadeiras dispostas em um círculo. Em seguida, o educador pede que se organizem na sequência do mês de seus aniversários. Enquanto trocam de lugares, devem ficar atentos para não caírem das cadeiras, pois embaixo há um mar de tubarões famintos. Enquanto eles buscam maneiras de se deslocar, o educador observa e pontua os conflitos que surgirem: se estão buscando soluções coletivas ou individuais, se estão se ajudando para não caírem, se estão salvando os que caem.

Nessa prática não há um vencedor, ela só termina quando todos estiverem em seus lugares na sequência exata. Em roda, todos devem falar e ouvir sobre as experiências individuais.

Reflexão

Onde há cooperação, organização e solidariedade todos ganham.

A DANÇA DOS JORNAIS

Objetivo
Compreender a importância da cooperação para o equilíbrio das relações.

Desenvolvimento
Todos os participantes ficam de pé num espaço que possibilite uma dança coletiva. Folhas de jornal espalhadas pelo chão e cada participante em cima de uma. Começa tocar uma música e todos saem dançando à vontade por entre as folhas. De vez em quando o educador para a música e cada um deve se colocar em cima de uma folha. O educador começa a retirar as folhas aos poucos, cada vez que para a música. Quem ficar sem folha sai da dança. Quando sobrar apenas uma folha e uma pessoa, voltam-se as folhas para o chão e uma nova instrução é dada: parando a música, ninguém sai da dança e ninguém pode ficar fora da folha. As folhas vão sendo retiradas até ficar uma só e todos se ajeitarem em cima dela.

Reflexão
Quais sentimentos, valores e atitudes vigoraram em cada momento? A competição impede a serenidade da dança da vida. A cooperação permite a alegria, a descontração.

TODOS POR TODOS

Objetivo
Compreender a importância da solidariedade no ambiente coletivo.

Desenvolvimento
Definir com a turma quem se encarrega de determinadas tarefas diárias, necessárias à harmonia do ambiente, tais como a limpeza da sala, chamar alguém, tirar cópia etc. Propor uma escala programada para que todos tenham oportunidade de fazer e receber os serviços.

Reflexão

A solidariedade permite a equidade, a harmonia, a organização e o respeito pelo trabalho do outro.

TROCA DE DOCES

Objetivo

Perceber a cooperação como oportunidade de todos terem o melhor.

Desenvolvimento

Dividir a turma em três grupos com o mesmo número de participantes. No primeiro grupo cada participante recebe três balas iguais. No segundo grupo cada um recebe três bombons iguais. No terceiro grupo cada um recebe três pirulitos iguais. Depois os grupos trocam os doces uns com os outros, até que cada participante receba três doces diferentes.

Reflexão

Quais os sentimentos experimentados ao abrir mão de algo pessoal para cooperar com todos?

CAMINHANDO COM BALÕES

Objetivo

Compreender a cooperação e a organização facilitando soluções coletivas.

Desenvolvimento

Todos os participantes ficam de pé num ponto da sala, cada qual segurando um balão cheio em cada mão. O educador descreve um lugar imaginário (exemplo: um planeta, um país, uma praia etc.) para onde todos gostariam de ir e determina um ponto oposto da sala como sendo esse lugar. Em seguida, dá a seguinte instrução: todos devem chegar lá juntos, mantendo todos os balões no ar. A primeira tentativa normalmente é fracassada, então o educador pergunta se querem outra oportunidade. Sendo aceita, ele repete a instrução do mesmo jeito: todos devem chegar lá juntos, mantendo todos os balões no ar. Depois de duas tentativas fracassadas o educador propõe uma última e estimula para que se organizem em busca da solução.

Observação: Normalmente a solução mais viável é amarrar todos os balões num único bloco, mas cada grupo deve ser estimulado a encontrar a sua.

Reflexão

Temos tendência ao individualismo e egoísmo. A organização e a cooperação facilitam as soluções coletivas.

VAMOS JUNTOS

Objetivo

Estimular a cooperação, o respeito, a flexibilidade e a tolerância.

Desenvolvimento

Participantes em duplas. Com um só lápis e uma única folha de papel, um segurando a mão do outro, fazem juntos um desenho qualquer. Eles não podem se falar durante o exercício.

Reflexão

Dificuldades e facilidades em guiar e ser guiado.

O CONSUMO E A MÍDIA

Objetivo

Perceber como o consumismo é explorado pela mídia.

Desenvolvimento

Levar exemplos de jornais, revistas, televisão, internet e outras fontes com comerciais de diversos produtos. Montar um mural com os recortes e fazer comentários sobre as verdades e as mentiras dos comerciais.

Reflexão

De onde vêm os produtos que consumimos, e para onde vão depois? Quais as consequências para o ser humano e para a natureza do consumo desnecessário?

FEIRA DE TROCAS

Objetivo

Perceber que temos muito mais do que necessitamos.

Desenvolvimento

Cada participante faz uma lista de coisas que estão guardadas em casa e que não servem para nada. Depois trazem para a turma e trocam entre si. Eles podem também estruturar ações como doar, vender etc.

Reflexão

As consequências ambientais do consumo excessivo. Valorização do conforto essencial e da simplicidade voluntária.

FEIRA SOLIDÁRIA

Objetivo

Valorizar a troca de experiências.

Desenvolvimento

Combinar com outras escolas do local (mais pobres ou mais ricas) ou outra turma da escola (mais jovem ou mais velha) um encontro para trocar experiências de ações do dia a dia.

Reflexão

Solidariedade também é humildade para ensinar e aprender com o outro.

CONSTRUINDO UM CONTRATO DE TRABALHO

Objetivo

Perceber a importância da responsabilidade individual pelo ambiente coletivo.

Desenvolvimento

Perguntar ao grupo sobre o que, na opinião deles, causa incômodo e desarmonia durante os trabalhos na escola. As opiniões serão ouvidas e transcritas numa folha grande, ou no quadro. Em seguida, todos firmam um compromisso coletivo de evitar tais comportamentos, para que o ambiente seja agradável a todos. Por exemplo: desligar o celular, não interromper a fala do outro, cumprir horários, conservar o local limpo, respeitar opiniões diferentes etc.

Reflexão

Na sociedade temos direitos e deveres, isso é cidadania. Mudança ambiental pressupõe mudanças de atitudes individuais.

JURI SIMULADO

Objetivo

Perceber e respeitar as diferenças individuais.

Desenvolvimento

Escolher algum fato ou conflito que tenha ocorrido ou esteja ocorrendo na comunidade (escola, bairro, cidade). Organizar a turma em dois grupos. Cada um defenderá o seu ponto de vista sobre o fato, até chegarem a uma conclusão (ou não).

Reflexão

Ética, justiça, tolerância, direitos e deveres de cada um.

CONSTRUIR UM CÓDIGO DE ÉTICA

Objetivo

Perceber a importância da organização para o equilíbrio social.

Desenvolvimento

Organizar pequenos grupos. Cada grupo elabora uma pauta sobre os comportamentos éticos necessários para sua comunidade (sala de aula, escola, bairro). Depois, em assembleia geral, será votado o código de ética final.

Observação: Se o código for para uma comunidade grande (a escola, por exemplo), poderá ser construído aos poucos com os diversos segmentos (professores, gestores, serviçais etc.).Para a votação do código final serão eleitos representantes de cada segmento.

Reflexão

Todos têm direitos e deveres individuais e coletivos.

CAPÍTULO 6

COMPROMISSO COM A ECOLOGIA INTEGRAL

A prática da ecologia integral é possível tanto nas pequenas atitudes do dia a dia, quanto nos grandes projetos transformadores do mundo.

O QUE POSSO FAZER

Objetivo
Formalizar compromissos com a ecologia integral e a responsabilidade individual.

Desenvolvimento
Pedir que cada participante escreva algumas propostas de ações individuais para melhorar o cuidado consigo mesmo, com a sociedade e com a natureza. Em seguida, ele escolhe a ação mais simples, que pode ser iniciada imediatamente, e assume a responsabilidade de realizá-la.

Formar duplas para trocarem experiências (se quiserem).

Reflexão
A transformação ambiental começa com o compromisso individual.

A ÁRVORE DOS SONHOS

Objetivo
Construir o sonho coletivo do lugar ideal para se viver.

Desenvolvimento

Explicar a origem do simbolismo: (ECO 92 na praia do Flamengo, no Rio de Janeiro)

Distribuir cartões em forma de folha de árvore para cada participante escrever qual é seu sonho do lugar ideal para viver (esse lugar pode ser a escola, o bairro, a cidade, o mundo). Depois, cada um lê para a turma o seu sonho e pendura sua folha na árvore (feita com um galho seco, desenhada num papel ou de outra forma criativa) e todos os sonhos são anotados no quadro. Em seguida, é construído o sonho coletivo agrupando os sonhos individuais de acordo com as características em comum, de modo que represente o anseio de todos. O sonho coletivo dará insumos para projetos coletivos, por exemplo, melhorar o relacionamento na escola, cuidar do córrego local etc.

Reflexão

Toda mudança começa com um sonho. Fazer um projeto é construir uma ponte entre a realidade e o sonho.

DESPEDINDO-ME

Educador, a mudança no mundo começa dentro de nós. Por isso quero compartilhar algumas mudanças de atitudes que só dependem da nossa escolha. Tente, nem é tão difícil:
- Resolver as demandas cotidianas – farmácia, padaria, feira – perto de casa ou do trabalho, economizando combustível, deslocamentos e energia pessoal.
- Selecionar o lixo doméstico e entregá-lo nos postos de coleta.
- Levar uma sacola de nylon ou de lona ao supermercado e à padaria, evitando, assim, as poluidoras sacolinhas de plástico.
- Evitar ou pelo menos reduzir o consumo de carne (grande parte dos grãos produzidos e grandes extensões de terra são destinadas à criação de gado).
- Reduzir as horas em frente à televisão, o maior veículo de sedução consumista, de produção de estresse, de violência e de alarmismo.
- Aproveitar as horas de lazer para fazer coisas divertidas: ler bons livros, ver bons filmes, ouvir boas músicas, levar bons papos, fazer uma comidinha caseira...
- Cultivar o bom humor, sorrir, cantar, agradecer, pedir perdão.
- Falar bem dos outros e não criticar seus defeitos.
- Evitar o desperdício de tempo com reuniões improdutivas, conversas fiadas, e-mails idiotas, telefonemas fuxiqueiros e discussões inúteis.
- Não provocar sofrimento para o outro – animais, plantas, pessoas.

- Não acumular coisas inúteis e não comprar por impulso.
- Encaminhar as embalagens de isopor de volta ao fornecedor.
- Utilizar mais o transporte coletivo, táxi e a carona solidária, ou caminhar.
- Fazer bloquinhos de rascunho com papel usado de um dos lados.
- Lavar algumas vasilhas só com água, sem utilizar sabão ou detergente.
- Passar menos roupas.
- Não desperdiçar comida nem em casa, nem em restaurantes. A sobra de um é a falta de outro.
- Fazer alguma coisa de que goste muito: tocar um instrumento, cantar, ler, desenhar, bordar.
- Socorrer animais em sofrimento.
- Cumprimentar e agradecer a quem quer que seja.
- Não se apropriar do que é do outro (tempo, coisas, energia).

Experimente durante alguns dias e depois me fale se valeu a pena.

Obrigada.

SUGESTÕES PARA REFLEXÃO

ALVES, Rubem. *Conversas com quem gosta de ensinar*. Campinas: Papirus, 2000.

BOFF, Leonardo. *Saber cuidar: ética do humano – compaixão pela terra*. 4. ed. Petrópolis: Vozes, 2001.

BROWN, Lersten. *Eco-economia: construindo uma economia para a Terra*. Salvador: Universidade Livre da Mata Atlântica, 2004.

CAPRA, Fritjof. *A teia da vida*. 9. ed. São Paulo: Cultrix, 1996.

CAPRA, Fritjof (Org.). *Alfabetização ecológica: a educação das crianças para um mundo sustentável*. São Paulo: Cultrix, 2005.

CAPRA, Fritjof. *As conexões ocultas*. São Paulo: Cultrix, 2002.

CARSON, Rachel Louise. *Primavera silenciosa*. Tradução de Cláudia Santana Martins. São Paulo: Gaia, 2010.

DALAI LAMA. *Uma ética para o novo milênio*. Rio de Janeiro: Sextante, 1999.

FREIRE, Paulo. *Conscientização*. São Paulo: Cortez & Moraes, 1979.

FREIRE, Paulo. *Educação e mudança*. Rio de Janeiro: Paz e Terra, 1979.

GADOTTI, Moacir. *Pedagogia da terra*. São Paulo: Fundação Peirópolis, 2000.

GUEVARA, Arnoldo *et al.* (Org.). *Conhecimento, cidadania e meio ambiente*. São Paulo: Fundação Peirópolis, 1998.

BRANDÃO, Ignácio de Loyola. *O presente é o futuro (manifesto verde)*. São Paulo: Círculo do Livro, 1985.

MANSOLDO, Ana. *Educação ambiental urbana*. Belo Horizonte: Edição do Autor, 2005.

MEADOWS, Donella. *Conceitos para se fazer educação ambiental*. São Paulo: Secretaria de Meio Ambiente do Estado de São Paulo, 1989.

MURARO, Rose Marie. *Os avanços tecnológicos e o futuro da humanidade*. Petrópolis: Vozes, 2009.

MURGEL BRANCO, Samuel. *Água: origem, uso e preservação*. São Paulo: Moderna, 1996.

NOGUEIRA, Geni Gomes. *Sala de aula onde quer que seja*. Belo Horizonte: Edição do Autor, 2003.

BROTTO, Fábio Otuzi. *Jogos cooperativos*. São Paulo: Projeto Cooperação, 2001.

REVISTA ECOLOGIA INTEGRAL. Belo Horizonte: Centro de Ecologia Integral, 2001 - Semestral.

TRIGUEIRO, André (Org.). *Meio ambiente no século XXI*. Rio de Janeiro: Sextante, 2003.

VIANA, Gilney; SILVA, Marina; DINIZ, Nilo (Org.). *O desafio da sustentabilidade: um debate socioambiental no Brasil*. São Paulo: Fundação Perseu Abramo, 2001.

YUNUS, Muhammad. *Um mundo sem pobreza: a empresa social e o futuro do capitalismo*. São Paulo: Ática, 2008.

ANEXO

COMO É O MEU DIA

ATIVIDADES	Tempo em horas											
	1	2	3	4	5	6	7	8	9	10	11	12
ALIMENTAÇÃO												
SONO												
EXERCÍCIOS FÍSICOS												
HIGIENE DO CORPO												
TRABALHO/ESTUDO												
COM A FAMÍLIA												
COM AMIGOS/COLEGAS												
COM O(A) PARCEIRO(A)												
TELEVISÃO												
LEITURA/FILME												
MÚSICA												
NADA (ficar à toa)												
MEDITAÇÃO/ORAÇÃO												
TRABALHO VOLUNTÁRIO												
OUTROS												

Este livro foi composto com tipografia Bembo e impresso
em papel Offset 90 g na Formato Artes Gráficas.